DE I

JULES VERNE

DE LA TERRE A LA LUNE

Le vocabulaire de ce livre est fondé sur
Börje Schlyter: Centrala Ordförrådet i Franskan
Günter Nickolaus: Grund- und Aufbauwortschatz
Französisch
Georges Gougenheim: Dictionnaire Fondamental
de la Langue Française

REDACTEUR
Ellis Cruse: *Danemark*

CONSEILLERS
Inga Säfholm *Suède*
Otto Weise *Allemagne*
Reidar Kvaal *Norvège*
Harry Wijsen *Pays-Bas*

Couverture: Ib Jørgensen
Illustrations: Oskar Jørgensen

Imprimé au Danemark par
Grafisk Institut A/S, Copenhague

JULES VERNE

est né à Nantes le 8 février 1828. Il a écrit quatre-vingts romans dont les plus connus sont: *Cinq semaines en ballon* (1863), *Voyage au centre de la terre* (1864), *De la terre à la lune* (1865), *Les Enfants du capitaine Grant* (1867) et *Le Tour du monde en quatre-vingts jours* (1873).

Dans un siècle qui compte des génies tels que Balzac, Dumas père, Flaubert, Zola et Stendhal il se révèle être un artiste extraordinaire en matière de fiction, un voyant capable d'imaginer, avec presque un siècle d'avance, quelques-unes des plus étonnantes conquêtes de la science. C'est un homme de son temps, sensible à la richesse de découvertes scientifiques dont il s'informe avec la plus grande conscience.

Dans les années soixante il entreprend ses premiers grands voyages en Angleterre, Ecosse et Scandinavie, et, plus tard, en 1867, il part pour les Etats-Unis. A son retour il s'installe à Amiens, ville natale de sa femme, où il restera jusqu'à sa mort le 24 mars 1905.

Table des matières

1 Le *Gun-Club*

Pendant la guerre civile des Etats-Unis, un nouveau club
très important s'établit dans la ville de Baltimore au Mary-
land. On sait avec quelle force l'instinct militaire se déve-
loppa chez le peuple, et comment de simples marchands
quittèrent leurs magasins pour devenir capitaines, colo-
nels, généraux, sans être passés par l'Ecole militaire de
West-Point. Ils *égalèrent* bientôt dans « l'art de la guerre »

Gun-Club, Club-Canon.
égaler, être égal à ; devenir l'égal de.

les militaires du *vieux continent,* et comme eux ils remportèrent des victoires en dépensant en quantité leurs millions, leurs *boulets* et leurs hommes.

Cependant, sur un point les Américains furent plus forts que les Européens, ce fut pour les *canons* qui avaient une puissance inconnue jusqu'alors à cause de leurs énormes dimensions.

Or, quand un Américain a une idée, il cherche un second Américain qui la partage. S'ils sont trois, ils élisent un président et deux secrétaires. A quatre, ils établissent un bureau et à cinq ils constituent un club. C'est ce qui arriva à Baltimore, où le Gun-Club fut créé. Un mois après sa formation, il comptait déjà dix-huit cent trente-trois membres.

Une seule condition était imposée à tous ceux qui voulaient entrer dans le club, il fallait avoir inventé ou, tout au moins, *amélioré* un canon.

Maintenant que le Gun-Club était fondé, on peut facilement se figurer jusqu'où allait le génie inventif des Américains. Les machines de guerre prirent des proportions énormes, et les projectiles allèrent au-delà des limites permises. Toutes ces inventions dépassèrent largement les instruments de l'artillerie européenne.

canon

boulet

---

vieux continent, l'Europe.
améliorer, rendre meilleur.

9

Un jour, pourtant, la guerre fut terminée, et le Gun-Club demeura dans une inaction complète.

– C'est malheureux, dit un soir le brave Tom Hunter, pendant que ses jambes de bois brûlaient lentement dans la cheminée du salon. Rien à faire! rien à espérer! Quelle vie ennuyeuse! Où est le temps où le canon vous réveillait chaque matin par ses jolis bruits?

– Ce temps-là n'est plus, répondit le vif Bilsby, en cherchant à bouger les bras qui lui manquaient. C'était un plaisir alors! On inventait son arme, et, à peine fondue, on courait l'essayer devant l'ennemi! Mais, aujourd'hui, les généraux sont retournés à leur bureau!

– Oui, Bilsby, s'écria le colonel Blomsberry, voilà de cruelles *déceptions*! Un jour on quitte ses habitudes tranquilles, on apprend à se servir des armes, on fait la guerre, on se conduit en héros, et, deux ou trois ans plus tard, il faut perdre le fruit de tant de fatigues, s'endormir dans une lamentable passivité et mettre ses mains dans ses poches.

Quoi qu'il pût dire, le colonel eût été fort empêché de le faire, et cependant, ce n'étaient pas les poches qui lui manquaient.

– Et nulle guerre en vue! dit alors le fameux J.-T. Maston, en se grattant la tête avec son *crochet* de fer. Ce matin, j'ai terminé un plan destiné à changer les lois de la guerre!

– Vraiment? demanda Tom Hunter, en pensant sans le vouloir au dernier essai de Maston.

– Vraiment, répondit celui-ci. Mais à quoi serviront tant d'études, tant de difficultés vaincues? N'est-ce pas du temps perdu? Les peuples du *Nouveau Monde* semblent

---

déception, le sentiment que l'on éprouve quand une chose espérée n'a pas été réalisée.
Nouveau Monde, l'Amérique.

crochet

décidés à vivre en paix, et notre journal « La Tribune »
prévoit de prochaines catastrophes dues à l'augmentation
importante des populations!

— Cependant, Maston, reprit le colonel Blomsberry, on
se bat toujours en Europe pour soutenir le principe des
nationalités!

— Eh bien?

— Eh bien! il y aurait peut-être quelque chose à tenter là-bas, et si l'on acceptait nos services...

— Y pensez-vous? s'écria Bilsby. Faire des études au profit des étrangers!

— Cela vaudrait mieux que de ne rien faire du tout, reprit le colonel.

— Sans doute, dit J.-T. Maston, cela vaudrait mieux, mais il ne faut même pas y penser.

— Et pourquoi cela? demanda le colonel.

— Parce qu'ils ont dans le Vieux Monde des idées sur l'avancement qui ne sont pas les mêmes que chez nous. Ces gens-là ne s'imaginent pas qu'on puisse devenir général du jour au lendemain!

— C'est donc impossible, dit Tom Hunter, et puisque les choses sont ainsi, il ne nous reste plus qu'à planter du tabac!

— Comment! s'écria J.-T. Maston, ces dernières années de notre existence, il faut les employer aux études des armes à feu! Peut-être qu'une difficulté internationale nous permettra de déclarer la guerre à quelque puissance européenne! Peut-être que les Français *couleront* un jour un de nos *bateaux à vapeur*, ou que les Anglais tueront trois ou quatre de nos gens!

bateau à vapeur

couler, envoyer au fond de l'eau.

— Non, Maston, répondit le colonel Blomsberry, nous n'aurons pas ce bonheur! Non! pas un de ces incidents ne se produira, et, même si cela se produisait, nous n'en profiterions pas, car les Américains ont perdu leur fierté!

— Ce n'est que trop vrai, dit J.-T. Maston d'une voix furieuse. Il y a mille raisons de se battre et l'on ne se bat pas! Ecoutez, il ne faut pas chercher si loin pour trouver une raison de faire la guerre, l'Amérique du Nord n'a-t-elle pas appartenu autrefois aux Anglais?

— Sans doute, répondit Tom Hunter.

— Eh bien! reprit J.-T. Maston, pourquoi l'Angleterre à son tour n'appartiendrait-elle pas aux Américains?

— Ce ne serait que justice, répondit le colonel Blomsberry.

— Allez proposer cela au président des Etats-Unis, s'écria J.-T. Maston, et vous verrez comme il vous recevra!

— Il nous recevra mal, dit Bilsby entre les quatre dents qu'il avait sauvées de la bataille.

— Dans ce cas, s'écria J.-T. Maston, aux prochaines *élections* il ne doit pas compter sur ma voix.

— Ni sur les nôtres, répondirent les autres.

— En attendant, reprit J.-T. Maston, et pour terminer, si l'on ne me donne pas l'occasion d'essayer mon nouveau canon sur un vrai champ de bataille, je *donne ma démission de membre* du Gun-Club.

— Nous aussi, répondirent les autres.

Or, les choses en étaient là, les esprits se montaient de plus en plus, et le club était menacé d'une mort prochaine,

---

élection, l'action de donner sa voix pour élire un président.
donner sa démission de membre, dire que l'on ne veut plus être membre du club.

quand un événement inattendu vint empêcher cette regrettable catastrophe.

Le lendemain même de cette conversation, chaque membre du club recevait une circulaire avec ces mots :

Baltimore, 3 octobre.

Le président du Gun-Club a l'honneur de prévenir ses collègues qu'à la réunion du 5 courant il leur fera une communication de nature à les intéresser vivement. En conséquence, il les prie de se rendre à l'invitation qui leur est faite par la présente.

Très cordialement leur
IMPEY BARBICANE
Président du Gun-Club

Questions

1. Pourquoi le « Gun-Club » demeure-t-il dans l'inaction une fois la guerre terminée ?

2. Pourquoi les membres du « Gun-Club » pensent-ils à « planter du tabac » ?

3. Que penser de l'idée de J.-T. Maston d'aller coloniser l'Angleterre ?

4. Quelle intention y a-t-il dans la circulaire du président Barbicane ?

14

2 Communication du Président Barbicane

Le 5 octobre, à huit heures du soir, une grande foule se pressait dans les salons du Gun-Club. Tous les membres habitant Baltimore s'étaient rendus à l'invitation de leur président. On le connaissait assez pour savoir qu'il n'eût pas dérangé les membres du club sans une raison de la plus haute importance.

Impey Barbicane était un homme de quarante ans, calme, froid, d'un esprit extrêmement sérieux et concentré; il était d'un tempérament *à toute épreuve,* d'un caractère très fort. C'était un personnage de taille moyenne, ayant, par une rare exception dans le Gun-Club, tous ses membres *intacts.*

En cet instant, il demeurait immobile dans son fauteuil, *muet,* sans regarder personne.

Lorsque huit heures sonnèrent à l'*horloge* de la grande salle, Barbicane se leva *subitement;* il se fit un silence général, et l'*orateur* prit la parole en ces termes:

horloge

à toute épreuve, qui ne se laisse pas émouvoir.
intact, qui n'a pas été blessé.
muet, sans dire un mot.
subitement, tout à coup.
orateur, celui qui adresse la parole à des gens réunis.

— Mes chers collègues, depuis trop longtemps déjà la paix est venue plonger les membres du Gun-Club dans une regrettable passivité. Après une période de quelques années, si pleine d'incidents, il a fallu abandonner nos travaux et nous arrêter brusquement sur la route du progrès. Je ne crains pas de le déclarer à haute voix, toute guerre qui nous remettrait les armes à la main serait bien venue...

— Oui, la guerre! s'écria J.-T. Maston.

— *Ecoutez!* écoutez! répondit-on de toute la salle.

— Mais la guerre, dit Barbicane, la guerre est impossible dans les circonstances actuelles, et de longues années se passeront encore avant que nos canons se fassent entendre sur un champ de bataille. C'est pourquoi, depuis quelques mois, mes chers collègues, je me suis demandé si, tout en restant dans notre spécialité, nous ne pourrions pas tenter quelque grande expérience digne du XIXe siècle. J'ai donc cherché, travaillé, calculé, et je suis arrivé à la conclusion que nous devons réussir dans une entreprise qui paraîtrait impossible à tout autre pays. C'est de ce projet que je vais vous parler; il est digne de vous, digne du passé du Gun-Club, et il ne pourra manquer de *faire du bruit* dans le monde. Je vous prie donc, mes chers collègues, de m'accorder toute votre attention.

Ces mots firent trembler toute la salle, mais Barbicane continua son discours d'une voix calme:

— Il n'en est pas un parmi vous qui n'ait déjà vu la Lune, ou tout au moins, qui n'en ait entendu parler. Ne vous étonnez pas si je viens vous parler de la Lune, car il nous est peut-être réservé d'être les *Colombs* de ce monde inconnu.

écoutez!, exclamation pour montrer que l'on est du même avis.
faire du bruit, faire beaucoup parler de soi.
Colomb, comme Colomb découvrit l'Amérique, les membres du Gun-Club découvriront la Lune.

2 De la Terre a la Lune

Comprenez-moi, aidez-moi de tout votre pouvoir, et je vous mènerai à sa *conquête*, et son nom se joindra à ceux des trente-six Etats qui forment notre grande Union!

– Hurrah pour la Lune! s'écria le Gun-Club d'une seule voix.

– On a beaucoup étudié la Lune, reprit Barbicane; mais jusqu'ici il n'a jamais été établi de communication directe avec elle.

Un violent mouvement d'intérêt et de surprise accueillit ces paroles.

– Permettez-moi, reprit-il, de vous rappeler en quelques mots comment certains esprits passionnés, partis pour des voyages imaginaires, prétendirent avoir découvert les secrets de la Lune. Au XVIIe siècle un certain David Fabricius prétendit avoir vu de ses propres yeux des habitants de la Lune. En 1649, un Français, Jean Baudoin, publia le « Voyage fait au monde de la Lune par Dominique Gonzalès », aventurier espagnol. A la même époque, *Cyrano de Bergerac* fit paraître cette expédition célèbre qui eut tant de succès en France. Tant d'autres chefs-d'œuvre ont été écrits à ce sujet, et pour terminer j'ajouterai qu'un certain Hans Pfaal de Rotterdam, *s'élançant* dans un *ballon* rempli d'un gaz qui est trente-sept fois plus léger que l'*hydrogène*, atteignit la Lune après dix-neuf jours de traversée. Ce voyage, comme les autres, était simplement imaginaire, mais ce fut l'œuvre d'un écrivain populaire en Amérique, je pense à ce génie étrange de Poe!

---

conquête, l'action de gagner quelque chose.
Cyrano de Bergerac, écrivain français du XVIIe siècle.
s'élancer, partir à toute vitesse.
hydrogène, corps élémentaire qui entre dans la composition de l'eau.

— Hurrah pour Edgar Poe! s'écria la salle, passionnée par les paroles du président.

— J'en ai fini, reprit Barbicane, avec ces voyages imaginaires, passons maintenant à ce qui va faire l'objet de ma proposition: vous savez, quels progrès la science des armes à feu a faits depuis quelques années. Vous n'ignorez pas non plus que, d'une façon générale, la force de résistance des canons est sans limites. Eh bien, partant de ce principe, je me suis demandé si, au moyen d'un appareil suffisant, il ne serait pas possible d'envoyer un boulet dans la Lune.

ballon

A ces paroles, un « oh » de *stupéfaction* s'échappa de la foule; puis il y eut un moment de silence et ensuite des cris, qui firent trembler la salle. Le président voulait parler; il ne pouvait pas. Ce ne fut qu'au bout de dix minutes qu'il parvint à se faire entendre.

— Laissez-moi achever, reprit-il froidement. J'ai étudié la question sous tous ses aspects, et le résultat de mes calculs est que tout projectile, dont la vitesse au départ est de

stupéfaction, surprise violente.

douze mille yards par seconde, et que l'on dirige vers la Lune, arrivera nécessairement jusqu'à elle. J'ai donc l'honneur de vous proposer, mes chers collègues, de tenter cette petite expérience !

---

douze mille yards, environ 11 000 mètres.

Questions

1. Pourquoi le président Barbicane est-il une exception, ayant tous ses membres intacts ?

2. En quoi l'idée de Barbicane montre-t-elle l'esprit d'entreprise des Américains ?

3. Pourquoi le Gun-Club est-il particulièrement bien choisi pour tenter l'expérience souhaitée par Barbicane ?

3 Effet de la communication Barbicane

Il est impossible de peindre l'effet produit par les dernières paroles du président. Quels cris! quelle suite de hurrahs, de « hip! hip! hip! », c'était le désordre total.

Ce serait d'ailleurs une erreur de croire que, pendant cette soirée *mémorable*, Baltimore fut le seul endroit d'agitation. Les grandes villes de l'Union, New York, Boston, Washington et d'autres, y prirent toutes part. C'est ainsi que, le soir même, à mesure que les paroles s'échappaient des lèvres de l'orateur, elles couraient sur les fils télégraphiques, à travers les Etats de l'Union, avec une vitesse de deux cent quarante-huit mille quatre cent quarante-sept *milles* à la seconde. On peut donc dire avec une certitude absolue qu'au même instant les Etats-Unis d'Amérique, dix fois grands comme la France, poussèrent un seul hurrah, et que vingt-cinq millions de cœurs battirent très fort d'orgueil.

Le lendemain, quinze cents journaux traitèrent de la question. Ils se demandèrent si la Lune était un monde achevé, ou si elle changeait encore, et si elle ressemblait à la Terre au temps où l'atmosphère n'existait pas encore.

Barbicane devint donc, à partir de ce jour-là, un des plus grands *citoyens* des Etats-Unis, quelque chose comme le *Washington* de la science, ce qui prouve jusqu'où allait l'admiration de ce peuple pour cet homme.

---

mémorable, dont on se souvient longtemps.
mille m, mesure utilisée en Angleterre, et valant 1 609 mètres.
citoyen, habitant d'un pays.
Washington (George), homme d'Etat américain (1732-1799).

observatoire

Cependant Barbicane ne perdit pas un instant, il décida d'écrire à l'*Observatoire* de Cambridge, dans le Massachusetts, pour lui poser des questions très précises sur la possibilité d'envoyer un projectile dans la Lune. Deux jours après, sa réponse arriva. Voici ce qui y était dit :

– Oui, il est possible d'envoyer un projectile dans la Lune, si l'on arrive à donner à ce projectile dès le départ une vitesse de douze mille yards par seconde. Si le boulet conservait cette vitesse, il ne mettrait que neuf heures environ pour arriver à sa destination ; mais, comme cette vitesse ira continuellement en diminuant, il se trouve que le projectile mettra trois cent mille secondes, soit quatre-vingt-trois heures et vingt minutes pour y parvenir.

A la fin de la lettre, le directeur de l'Observatoire, J.-M. Belfast, présentait ses félicitations au président Barbicane en lui précisant qu'il se mettait entièrement à sa disposition pour d'autres questions d'astronomie.

Questions

1. A quoi voit-on que le livre a été écrit par un écrivain très attaché au modernisme ?

2. Qu'est-ce qui, dans ce chapitre, montre la taille des Etats-Unis ?

4 Un ennemi sur vingt-cinq millions d'amis

Le public américain trouvait un grand intérêt aux moindres détails de l'entreprise du Gun-Club. Il suivait jour par jour les discussions du Comité. Pourtant, un seul homme, un seul dans tous les Etats de l'Union, protesta contre cette *tentative*. Il l'attaqua avec violence à chaque occasion; et la nature est ainsi faite, que Barbicane fut plus sensible à cette opposition d'un seul qu'à l'*approbation* de tous les autres.

Cependant, il savait bien la cause de cette antipathie, car elle était personnelle et d'ancienne date. Cet ennemi, le président du Gun-Club ne l'avait jamais vu. Heureusement, car la rencontre de ces deux hommes eût certainement entraîné de mauvaises conséquences. Ce rival était un *savant* comme Barbicane, une nature fière, courageuse, violente, un pur *Yankee*. On le nommait le capitaine Nicholl. Il habitait Philadelphie.

La haine entre les deux hommes avait commencé pendant la guerre civile, car aussitôt que Barbicane inventait un nouveau boulet, Nicholl inventait une nouvelle *plaque blindée*. Le président du Gun-Club passait sa vie à percer des trous, le capitaine à l'en empêcher. Fort heureusement pour ces citoyens si utiles à leur pays, une dis-

---

tentative, action par laquelle on essaie de faire réussir une chose souvent très difficile.
approbation, jugement favorable.
savant, homme de science.
Yankee, habitant des Etats-Unis (= Américain).
plaque blindée, feuilles de fer pour protéger les bateaux contre les boulets de l'ennemi.

tance de cinquante milles les séparait l'un de l'autre, et leurs amis faisaient tout leur possible pour qu'ils ne se rencontrent jamais.

Plus d'un an allait s'écouler entre le commencement des travaux en vue de la réalisation du plan du canon: *la Columbiad* et son achèvement. Pendant tout ce temps Nicholl n'arrêtait pas d'attaquer les travaux. Il chercha à prouver que les chiffres étaient complètement faux, qu'il ne serait jamais possible de donner à un corps quelconque une vitesse de douze mille yards par seconde. Il annonça la tentative comme fort dangereuse, car si le projectile n'atteignait pas son but, il retomberait évidemment sur la Terre.

Mais Nicholl était seul de son opinion. Aussi personne n'écoutait-il ses malheureuses *prophéties*. On le laissait donc crier à son aise, puisque cela lui convenait. On l'entendait, mais on ne l'écoutait pas, et il n'enleva pas un seul admirateur au président du Gun-Club. Ne pouvant payer de sa personne pour faire triompher sa cause, Nicholl décida de payer de son argent. Il proposa donc publiquement dans un journal de Richmond une série de *paris* conçus en ces termes:

1° Que le Gun-Club ne pourrait pas se procurer l'argent nécessaire à l'entreprise, *ci*   1 000 dollars
2° Que la fabrication d'un canon de neuf cents pieds était impossible à réaliser et ne réussirait pas, ci . . . . 2 000   —

---

la Columbiad, les Américains donnaient ce nom à ces énormes machines de destruction.
prophétie, le fait de prédire un événement futur.
pari, accord entre deux ou plusieurs personnes d'opinions opposées, assurant que celle qui dit vrai recevra une somme fixée.
ci, ici.

3° Qu'il serait impossible de charger la
Columbiad, ci...................... 3 000 dollars
4° Que la Columbiad éclaterait au premier
coup, ci .... 4 000   —
5° Que le boulet n'irait même pas jusqu'à
six milles, et retomberait quelques secondes après avoir été lancé, ci........ 5 000   —

On voit que c'était une somme importante que risquait
le capitaine, car il ne s'agissait pas de moins de *quinze mille
dollars.*

Quelques temps après, il reçut une lettre conçue en ces
termes:

Baltimore, 18 octobre

Tenu.

BARBICANE

Questions

1. A quoi est due la haine de Nicholl pour Barbicane?

2. Pourquoi Nicholl étant seul de son avis se sent-il obligé
de proposer un pari à Barbicane?

---

quinze mille dollars, = environ soixante-quinze mille frs.
tenu, d'accord.

5 Floride et Texas

Cependant, une question restait encore à régler: il fallait choisir un endroit favorable à l'expérience. Le 20 octobre, le Gun-Club fut réuni et Barbicane apporta une magnifique carte des Etats-Unis.

Mais, sans lui laisser le temps de la montrer aux membres, J.-T. Maston demanda aussitôt la parole, et dit:

– Honorables collègues, la question qui va se traiter aujourd'hui a une véritable importance nationale, et elle va nous donner l'occasion de faire un grand acte de patriotisme.

Les membres du Gun-Club se regardèrent sans comprendre où l'*orateur* voulait en venir.

– Dans les circonstances actuelles, reprit-il, nous sommes forcés de choisir un lieu assez près de l'*équateur*, pour que l'expérience se fasse dans de bonnes conditions. Mais j'insiste sur le fait que le *territoire*, d'où partira notre magnifique projectile, doit appartenir à l'Union.

– Sans doute! répondirent quelques membres.

– Eh bien! puisque nos frontières ne sont pas assez étendues, puisque nous avons au sud l'Océan et qu'il nous faudra chercher au-delà des Etats-Unis, je vous propose que l'on déclare la guerre au Mexique!

– Mais non! mais non! s'écria-t-on de toutes parts.

– Non! répondit J.-T. Maston. Voilà un mot que je m'étonne d'entendre de vous!

– Mais écoutez donc!...

– Jamais! jamais! continua le furieux orateur. Tôt ou

---

orateur, celui qui fait un discours.
équateur, cercle imaginaire qui partage la Terre en deux parties.
territoire, étendue de terre appartenant à un Etat.

28

tard cette guerre se fera, et je demande qu'elle éclate aujourd'hui même.

– Maston, dit Barbicane, je vous retire la parole! Je conviens que l'expérience ne peut et ne doit être tentée que sur le sol de l'Union, mais si mon impatient ami m'avait laissé parler, s'il avait jeté les yeux sur une carte, il aurait su qu'il est parfaitement inutile de déclarer la guerre à nos voisins. Voyez, nous avons à notre disposition toute la partie sud du Texas et de la Floride. Reste à savoir maintenant laquelle des deux il faut choisir. La Floride, dans sa partie sud, ne compte pas de villes importantes. Une seule, Tampa-Town, pouvait entrer en considération. Au Texas, au contraire, les villes sont plus nombreuses et plus importantes.

Les membres du Gun-Club n'arrivèrent pas à une décision ce soir-là, et on peut se figurer la lutte qui allait commencer entre les villes de ces deux Etats.

Quand cette lutte eut duré quelque temps, Barbicane prit la décision de choisir la Floride et Tampa-Town, parce qu'il avait peur qu'une nouvelle lutte ne se produise entre les onze villes du Texas, si l'on choisissait ce pays, alors qu'en Floride, il n'était question que d'une.

Ce problème étant résolu, celui de l'argent se posa alors. Il s'agissait de se procurer une somme énorme pour la réalisation du projet. Aucun particulier, aucun Etat même n'aurait pu disposer des millions nécessaires.

Le président Barbicane prit donc le parti, bien que l'entreprise fût américaine, d'en faire une affaire d'un intérêt *universel* et de demander à chaque peuple une aide *financière*. Il s'agissait cependant de sommes à donner, non à

---

universel, qui touche tous les hommes du monde entier.
financier, ayant rapport à l'argent.

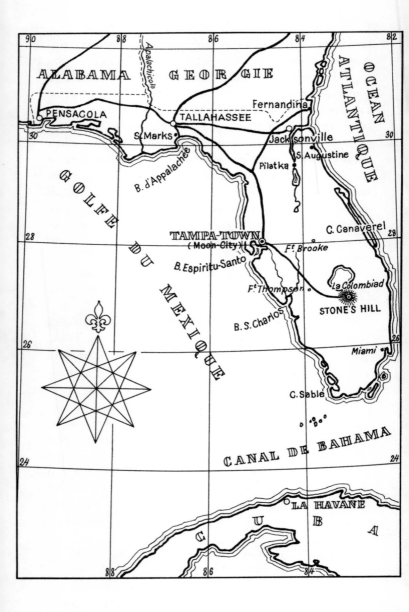

prêter. Le 8 octobre, Barbicane envoya un document, traduit en toutes langues, dans lequel il faisait appel « à tous les hommes de bonne volonté de la Terre ». Cette idée réussit très bien. De tous les coins du monde on envoya de l'argent, et trois jours après, cinq millions de dollars étaient versés dans les différentes villes de l'Union. Avec une pareille somme, le Gun-Club pouvait déjà commencer.

Le 20 octobre, un contrat fut conclu avec l'usine de Goldspring qui s'engageait à transporter à Tampa-Town le matériel nécessaire à la fabrication de la Columbiad. Celle-ci devait être terminée, au plus tard, le 15 octobre suivant, et le canon livré en bon état.

Questions

1. Pourquoi Maston est-il étonné que ses collègues refusent de déclarer la guerre au Mexique?

2. Comment expliquez-vous ce changement d'attitude des membres du Gun-Club?

3. Pourquoi les villes du Texas se seraient-elles disputées si cet Etat avait été choisi par Barbicane?

4. Pourquoi Barbicane réussit-il quand il demande aux hommes de bonne volonté de lui donner de l'argent?

6 *Stone's-Hill*

Depuis que le choix était tombé sur la Floride, chacun en Amérique, où tout le monde sait lire, se fit un devoir d'étudier la géographie de la Floride.

Mais Barbicane avait mieux à faire qu'à lire; il voulait voir de ses propres yeux et choisir le lieu de la construction de la Columbiad. Il quitta donc Baltimore, accompagné de J.-T. Maston, du major Elphiston et du directeur de l'usine de Goldspring, l'ingénieur Murchison.

Le lendemain, les quatre hommes arrivèrent à La Nouvelle-Orléans. Après deux jours de traversée sur le « Tampico », ils arrivèrent à la ville de Tampa sur la côte de la Floride. Barbicane sentit son cœur battre avec violence lorsqu'il toucha le sol floridien.

– Messieurs, dit-il, nous n'avons pas de temps à perdre, et dès demain nous monterons à cheval pour étudier le terrain.

Au moment où Barbicane mit le pied sur la terre floridienne, les trois mille habitants de Tampa-Town se précipitèrent vers lui pour l'accueillir. Mais Barbicane, qui n'aimait pas le métier d'homme célèbre, gagna vite sa chambre de l'hôtel Franklin.

Le lendemain, 23 octobre, de petits chevaux de race espagnole l'attendaient sous ses fenêtres. Barbicane descendit, accompagné de ses trois compagnons, et s'étonna tout d'abord de voir cinquante chevaux au lieu des quatre qu'il leur fallait. Mais on avait jugé plus prudent de faire accompagner Barbicane et ses compagnons par des Floridiens à cause des sauvages qui couraient le pays.

Stone's Hill, Colline de pierres.

La Floride, découverte par Juan Ponce de Léon, en 1512, le jour des *Pâques*, fut d'abord appelée *Pâques-Fleuries*. Elle semblait, sur ses côtes brûlées, bien mal mériter ce joli nom. Mais, à quelques milles à l'intérieur du pays, la nature du terrain changea peu à peu, et le pays se montra digne de son nom.

Barbicane parut très satisfait de constater ce changement, et dit à son ami J.-T. Maston:

– Je crois, mon cher ami, que nous avons intérêt à fondre notre Columbiad dans *les hautes terres*.

– Pour être plus près de la Lune? s'écria Maston.

– Non! répondit Barbicane en souriant, mais au milieu de terrains élevés, nos travaux marcheront plus facilement, car nous n'aurons pas à lutter avec les eaux.

Quelques heures plus tard, après avoir franchi plusieurs rivières, la petite troupe arriva sur une vaste plaine avec, au milieu, une partie élevée.

– Halte! dit Barbicane en s'arrêtant. Cet endroit a-t-il un nom dans le pays?

– Il s'appelle Stone's Hill, répondit un des Floridiens.

Sans dire un mot, Barbicane se mit à étudier le terrain et, au bout d'un certain temps, les autres comprirent que son choix avait été fait.

Le soir même, Barbicane et ses compagnons rentrèrent à Tampa-Town, et l'ingénieur Murchison repartit aussitôt sur le « Tampico » pour la Nouvelle-Orléans. Il devait engager une armée d'ouvriers et ramener la plus grande partie du matériel. Les membres du Gun-Club restèrent

---

Pâques, fête de la religion chrétienne qui a lieu au début du printemps.

Pâques-Fleuries, le dimanche des Rameaux; le dimanche avant la fête de Pâques.

les hautes terres, les parties les plus élevées d'un pays.

à Tampa-Town, afin d'organiser les premiers travaux en s'aidant des gens du pays.

Huit jours après son départ, le « Tampico » revenait avec quinze cents travailleurs que Murchison avait réunis. Il n'eut pas de difficultés à les trouver, car il offrait à ses hommes une *paye* très élevée.

Le 31 octobre, à dix heures du matin, cette troupe fit son arrivée à Tampa-Town; on comprend le mouvement et l'activité qui régnèrent dans cette petite ville dont on doublait en un jour la *population*. En plus, un grand nombre de curieux vinrent de tous les coins du monde.

Après des examens pratiqués dans tous les détails pour reconnaître la nature du terrain, le *creusement* put être commencé le 4 novembre. Ce jour-là Barbicane réunit ses chefs de travaux et leur dit:

— Vous savez tous, mes amis, pourquoi je vous ai réunis dans cette partie sauvage de la Floride. Il s'agit de fondre un canon mesurant neuf *pieds* de largeur intérieure, six pieds d'épaisseur et revêtu de dix-neuf pieds et demi de pierres. C'est donc un *puits* large de soixante pieds qu'il faut creuser et profond de 900. Ce travail considérable doit être terminé en huit mois, et je compte sur votre courage autant que sur votre *habileté*.

---

paye, ce qu'un ouvrier reçoit pour son travail.
population, ensemble des personnes qui habitent une ville, une région ou un pays.
creusement, le fait de faire un trou dans la terre.
pied, ancienne mesure de 0,324 mètre.
puits, voir p. 36.
habileté, qualité qui permet de réussir dans ce qu'on entreprend.

Questions

1. Pourquoi les habitants de Tampa-Town se sont-ils pré-
   cipités pour accueillir Barbicane ?
2. Pourquoi Murchison engage-t-il « une armée d'ouvriers » ?
3. Quelle impression doit faire aux ouvriers la déclaration
   de Barbicane ?

puits

7 La Columbiad

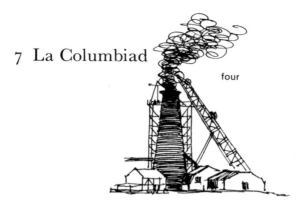

four

Comme prévu par Barbicane, le puits fut terminé dans les huit mois qui suivirent. L'opération se termina le 8 juillet, et la *fonte* fut fixée au lendemain.

– Ce sera très beau à voir cette fête de la fonte, dit J.-T. Maston à son ami Barbicane.

– Sans doute, répondit Barbicane, mais ce ne sera pas une fête publique!

– Comment, vous n'ouvrirez pas les portes à tous ceux qui sont venus ici pour voir?

– Non, Maston: la fonte de la Columbiad est une opération délicate, pour ne pas dire dangereuse. Au départ du projectile, on peut faire une fête, si l'on veut, mais jusque-là, non.

Douze cents *fours* avaient été disposés à six cents mètres tout autour du puits. Au signal donné par un coup de canon, chaque four devait livrer passage à la fonte *liquide* et se vider entièrement.

La fonte était fixée pour midi, et chefs et ouvriers attendirent le moment déterminé avec impatience et émotion.

---

fonte, action de fondre; aussi: nom du composé métallique.
liquide, qui coule.

37

A midi, un coup de canon éclata soudain et les douze cents trous des fours s'ouvrirent à la fois et la fonte se précipita, avec un bruit énorme, à la profondeur de neuf cents pieds du puits. C'était un émouvant et magnifique spectacle qui faisait trembler le sol.

Cependant, longtemps allait se passer avant qu'on puisse s'assurer que la fonte avait réussi. Personne ne put s'approcher du puits à cause de l'insupportable chaleur. Il fallait attendre, et les membres du Gun-Club étaient de plus en plus impatients.

Le 6 octobre on put constater avec satisfaction que le canon était terminé et qu'il était parfait. Barbicane avait donc gagné les deux premiers paris, et on est autorisé à croire que la colère du capitaine Nicholl fut poussée à l'extrême. Cependant il avait encore les trois autres paris, et pourvu qu'il en gagnât deux, son affaire n'était pas mauvaise, sans être excellente. Mais ce n'était pas la perte d'argent qui lui portait un coup terrible, c'était le succès obtenu par son rival.

En effet, un grand nombre de curieux était venu en Floride, et la ville de Tampa-Town comptait maintenant une population de cent cinquante mille âmes. Il est connu que les Yankees ont le sens du commerce, et c'est pourquoi les gens, venus en Floride uniquement pour suivre les opérations du Gun-Club, se laissèrent entraîner aux opérations commerciales dès qu'ils furent installés à Tampa. Le port eut bientôt une activité sans pareille, et les routes devinrent de plus en plus nombreuses, de même qu'on vit de nouveaux bâtiments partout.

Lorsque la Columbiad fut entièrement terminée, Barbicane ouvrit ses portes à tous les visiteurs. Jamais on n'avait vu une agitation semblable. Femmes, enfants, vieillards, tous se firent un devoir de pénétrer jusqu'au fond de l'âme de l'immense canon. Le prix de la descente fut fixé à cinq dollars par personne, et, malgré ce prix élevé, le Gun-Club encaissa près de cinq cent mille dollars pendant les deux mois qui précédèrent l'expérience.

Inutile de dire que les premiers visiteurs de la Columbiad furent les membres du Gun-Club, les plus distingués, et pour eux on avait dressé une table de dix couverts sur la pierre qui supportait le canon. Il y faisait encore bien chaud et on étouffait un peu. Mais quelle joie! De nombreux plats, qui semblaient descendre du ciel, furent servis à neuf cents pieds sous terre, et les meilleurs vins de France coulèrent dans les verres.

Questions

1. Pourquoi l'opération de la fonte attire-t-elle les curieux?

2. Pourquoi Barbicane refuse-t-il d'ouvrir les portes?

3. Pourquoi Nicholl est-il en colère?

4. Quels sont les détails indiquant le sens du commerce des Yankees?

8 Un télégramme

Les grands travaux entrepris par le Gun-Club étaient, pour ainsi dire, terminés, et cependant, il restait encore deux mois avant le jour où la position de la Lune permettrait d'expédier le projectile là-haut. Deux mois qui devaient paraître longs comme des années. Jusqu'alors les moindres détails de l'opération avaient été chaque jour reproduits par les journaux, mais il était à craindre que désormais, le public ne prît plus intérêt à l'affaire.

Cependant, l'incident le plus inattendu, le plus extraordinaire, le plus *incroyable* vint surprendre à nouveau les esprits.

Un jour, le 30 septembre, un télégramme arriva à l'adresse du président Barbicane. Celui-ci déchira l'enveloppe, lut le contenu, et, sans qu'il puisse rien y faire, ses lèvres devinrent pâles et ses yeux se troublèrent à la lecture des vingt mots de ce télégramme:

> *FRANCE, PARIS, 30 septembre, 4 h matin*
> *Barbicane, Tampa, Floride, Etats-Unis.*

> *Remplacez* obus *rond par projectile forme allongée. Partirai dedans. Arriverai par bateau « Atlanta ».*
> MICHEL ARDAN.

---

incroyable, qui est difficile à croire.
obus, projectile.

Questions

1. Que peut-on penser de Michel Ardan en lisant son télégramme ?
2. Pourquoi demande-t-il de changer la forme du projectile ?

9 Le passager de l' «Atlanta»

Si cette étonnante nouvelle était arrivée simplement par lettre et non par télégramme, Barbicane n'aurait pas hésité un seul instant. Il se serait tu par prudence, pour ne pas se montrer ridicule. Car il ne croyait pas à l'existence de cet homme, et s'il existait, n'était-ce pas un fou qu'il fallait enfermer?

Mais le télégramme était connu, car les appareils qui l'avaient transmis sont peu discrets par nature, et la proposition de Michel Ardan parcourait déjà les divers Etats de l'Union. Ainsi Barbicane n'avait plus aucune raison de se taire. Il réunit donc ses collègues présents à Tampa-Town, et sans laisser voir sa pensée, il lut froidement le court texte.

– Pas possible! – C'est incroyable! – On s'est moqué de nous! – Ridicule! Tout les mots qui servent à exprimer le doute et la folie furent prononcés pendant quelques minutes. Chacun souriait, riait, haussait les épaules suivant son humeur. Seul, J.-T. Maston eut un mot intelligent.

– C'est une idée, cela! s'écria-t-il.

– Oui, lui répondit un autre, mais s'il est quelquefois permis d'avoir des idées comme celle-là, c'est à la condition de ne même pas songer à les réaliser.

– Et pourquoi pas? répondit vivement Maston, prêt à discuter. Mais personne n'en avait envie.

Cependant le nom de Michel Ardan courait déjà dans la ville de Tampa. Les étrangers et les habitants se regardaient, s'interrogeaient et riaient, non pas de Michel

Ardan, mais de J.-T. Maston qui avait pu croire à l'existence de ce personnage étrange. Quand Barbicane proposa d'envoyer un projectile à la Lune, chacun trouva l'entreprise naturelle et possible à réaliser, une pure affaire de science ! Mais qu'un être raisonnable offrît d'être passager dans le projectile, de tenter ce voyage incroyable, cela ne pouvait être que pour rire.

Cependant la proposition de Michel Ardan, comme toutes les idées nouvelles, occupait quand même les esprits. « On n'avait pas pensé à cela ! » Mais bientôt on y pensait. Pourquoi ce voyage ne serait-il pas réalisé un jour ou l'autre ? Mais en tout cas, l'homme qui voulait ainsi risquer sa vie devait être fou, et décidément, puisque son projet ne pouvait être pris au sérieux, il eût mieux fait de se taire, au lieu de troubler les pensées de toute la population.

Mais, d'abord, ce personnage existait-il réellement ? Grande question ! Ce nom, « Michel Ardan », n'était pas inconnu en Amérique ! Il passait pour un Français célèbre à cause de ses entreprises courageuses. Puis, ce télégramme avec la précision du bateau sur lequel le Français disait être monté, donnait quand même à la proposition un certain caractère de *vraisemblance*.

Un soir, une foule se réunit sous les fenêtres du président Barbicane, qui, depuis l'arrivée du télégramme, ne s'était pas prononcé.

Celui-ci parut donc ; il y eut un silence, et alors un citoyen, prenant la parole, lui posa directement la question suivante :

– Le personnage de Michel Ardan est-il en route pour l'Amérique, oui ou non ?

---

vraisemblance, qualité de ce qui est croyable.

— Messieurs, répondit Barbicane, je ne le sais pas plus que vous.

— Il faut le savoir, s'écrièrent des voix impatientes.

— Le temps nous l'apprendra, répondit froidement le président.

— Avez-vous fait changer la forme du projectile comme demandé dans le télégramme ?

— Pas encore, messieurs ; mais vous avez raison, il vaut mieux se renseigner sur son arrivée. Le télégraphe, qui nous a causé toute cette émotion, voudra bien nous le dire.

— Au télégraphe ! au télégraphe ! s'écria la foule.

Barbicane descendit, et, quelques minutes plus tard, un télégramme était envoyé à Liverpool. On demandait une réponse aux questions suivantes :

— Qu'est-ce que le bateau l'« Atlanta » ?

— Quand a-t-il quitté l'Europe ?

— Avait-il à son bord un passager nommé Michel Ardan de Paris ?

Deux heures après, Barbicane reçut des renseignements d'une précision qui ne laissait plus place au moindre doute.

— Le bateau l'«Atlanta », de Liverpool, est parti le 2 octobre pour Tampa-Town, ayant à bord un Français, porté au livre des passagers sous le nom de Michel Ardan.

— C'est donc vrai, dit Barbicane tout bas, c'est donc possible ! Ce Français existe ! et dans quinze jours il sera ici ! Mais c'est un fou ! . . . Jamais je n'admettrai . . .

Et cependant, le soir même, il écrivit à la maison Bread-will and Co., en la priant de *suspendre* la fonte du projectile jusqu'à nouvel ordre.

Le 20 octobre, à six heures de l'après-midi, le bateau

suspendre, interrompre pour un certain temps.

anglais arriva dans le port de Tampa. L'*ancre* n'avait pas encore touché le fond de sable, que Barbicane cria :

— Michel Ardan !

ancre

— Présent ! répondit un homme qui était monté sur le pont.

Barbicane, les bras croisés et sans dire un mot, regarda tranquillement son rival, mais fut vite interrompu par les hurrahs de la foule. Des milliers de mains voulaient serrer celle de Michel Ardan, et celui-ci dut rentrer rapidement dans sa cabine.

Barbicane le suivit sans avoir prononcé une parole.

— Vous êtes Barbicane ? lui demanda Michel Ardan, dès qu'ils furent seuls et sur le même ton que s'ils se connaissaient depuis vingt ans.

— Oui, répondit le président du Gun-Club.

— Eh bien ! bonjour, Barbicane. Comment cela va-t-il ? Très bien ? Tant mieux ! tant mieux !

— Ainsi, dit Barbicane, vous êtes décidé à partir ?

— Absolument décidé.

— Rien ne vous arrêtera ?

— Rien. Avez-vous fait changer votre projectile ainsi que l'indiquait mon télégramme ?

— J'attendais votre arrivée. Mais, demanda Barbicane en insistant de nouveau, vous avez bien réfléchi ?...

— Réfléchi ! est-ce que j'ai du temps à perdre ? Je trouve l'occasion d'aller faire un tour dans la Lune, j'en profite, et voilà tout. Il me semble que cela ne mérite pas tant de réflexion.

Barbicane regarda cet homme qui parlait de son projet de voyage avec une telle légèreté et une si parfaite absence d'inquiétude.

– Mais au moins, lui dit-il, vous avez un plan, des moyens pour le réaliser?

– Excellents, mon cher Barbicane. Mais permettez-moi de vous dire quelque chose: j'aime autant raconter mon histoire une bonne fois, à tout le monde. Cela évitera des répétitions. Donc, si vous n'avez rien d'autre à proposer, réunissez vos amis, vos collègues, toute la ville, toute la Floride, toute l'Amérique, si vous voulez, et demain je serai prêt à raconter mon plan comme à répondre aux questions quelles qu'elles soient. Cela vous va-t-il?

– Cela me va, répondit Barbicane.

Ensuite, le président sortit de la cabine et répéta à la foule la proposition de Michel Ardan. Ses paroles furent accueillies avec des cris de joie. J.-T. Maston ne voulait plus quitter le bateau et s'écria:

– C'est un héros! un héros, et nous ne sommes que de vieilles femmes auprès de ce Français-là!

Questions

1. Pourquoi peut-on penser que Michel Ardan est fou?

2. Pourquoi se met-on à penser que le voyage Terre-Lune est réalisable?

3. Comment se présente Michel Ardan à son arrivée?

4. Pourquoi les Américains se considèrent-ils comme de vieilles femmes auprès de Michel Ardan?
   Que veut dire cette expression?

10 Une réunion

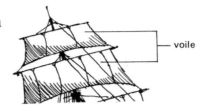

voile

Le lendemain, le soleil se leva bien tard, c'était du moins l'opinion du public impatient. Barbicane, qui avait peur des questions que l'on allait poser à Michel Ardan, aurait voulu réduire le public à un petit nombre, à ses collègues par exemple. Mais il comprit vite que c'était impossible, et l'endroit de la réunion fut donc choisi dans une vaste plaine en dehors de la ville; en quelques heures on parvint à mettre le public à l'abri des rayons du soleil. Les bateaux du port, riches en *voiles*, fournirent le matériel nécessaire à la construction d'une énorme *tente*. Là, trois cent mille personnes trouvèrent place et luttèrent pendant plusieurs heures contre une chaleur à ne pouvoir respirer, en attendant l'arrivée du Français. De cette foule, une partie pouvait voir et entendre; une seconde partie voyait mal et n'entendait pas; quant au reste, il ne voyait rien et n'entendait pas davantage.

tente

A trois heures, Michel Ardan apparut, accompagné des principaux membres du Gun-Club. Il donnait le bras droit au président Barbicane, et le bras gauche à J.-T. Maston. Ardan monta sur une *estrade*, ne paraissant aucunement embarrassé; il était là comme chez lui, gai, familier, aimable. Aux hurrahs qui l'accueillirent il répondit par un salut plein de grâce; puis, de la main, il réclama le silence et prit la parole, s'exprimant dans un anglais parfait:

— Messieurs, dit-il, bien qu'il fasse très chaud, je vais prendre un petit moment de votre temps pour vous donner quelques explications sur des projets qui ont l'air de vous intéresser. Je ne suis ni un orateur, ni un savant, et je ne comptais pas parler en public; mais mon ami Barbicane m'a dit que cela vous ferait plaisir, et j'y ai consenti. Donc, écoutez-moi avec vos six cent mille oreilles, et veuillez excuser les fautes de l'auteur.

Ce début *sans façon* sembla plaire au public qui approuva, et Michel Ardan continua:

— Messieurs, aucune marque de satisfaction ou d'insatisfaction n'est interdite. Et d'abord, ne l'oubliez pas, vous avez affaire à un *ignorant*, mais son ignorance va si

estrade

---

sans façon, simple.
ignorant, qui ne sait rien ou pas grand'chose.

loin qu'il ignore même les difficultés. Il a donc trouvé que c'était une chose simple, naturelle et facile de monter dans un projectile et de partir pour la Lune. Ce voyage-là devait se faire tôt ou tard, car c'est la loi du progrès. Le projectile est la voiture de l'avenir, et il ne faut pas croire que la vitesse qu'il atteindra soit folle, si on la compare à la vitesse des planètes. Car les planètes ne sont que des projectiles, de simples boulets de canon lancés par la main de Dieu. Un jour, on va aller sur la Lune, on ira sur les planètes, on ira sur les étoiles, comme on va aujourd'hui de Liverpool à New York.

Le public resta *stupéfié* par l'idée du héros français, et celui-ci parut comprendre.

— Vous ne semblez pas convaincus, mes chers amis, re-

---

stupéfier, surprendre fortement.

prit-il avec un aimable sourire. Eh bien ! voyons un peu. Savez-vous quel temps il faudrait à un train express pour atteindre la Lune ? Trois cents jours. Pas plus. Une distance de quatre-vingt-six mille quatre cent dix milles, mais qu'est-ce que cela ? Même pas neuf fois le tour de la terre, et il n'y a pas de marins ou de grands voyageurs qui n'aient fait plus de chemin pendant leur existence. Pensez donc que je ne serai que quatre-vingt-dix-sept heures en route. J'ai donc le droit d'affirmer devant vous que la distance est un vain mot, la distance n'existe pas !

— Bien dit ! Bravo ! Hurrah ! s'écria d'une seule voix la foule, emportée par le geste et la façon de parler de l'orateur.

— Non ! s'écria J.-T. Maston plus fort que les autres, la distance n'existe pas !

— Mes amis, continua Michel Ardan, je pense que cette question est maintenant résolue. Je ne crois donc pas trop m'avancer en disant qu'on établira prochainement des trains de projectiles dans lesquels se fera facilement le voyage de la Terre à la Lune. Il n'y aura pas d'accidents à craindre, et l'on atteindra le but rapidement, sans fatigue, en ligne droite. Avant vingt ans, la moitié de la Terre aura visité la Lune !

— Hurrah ! hurrah pour Michel Ardan ! s'écria la foule, même les moins convaincus.

— Hurrah pour Barbicane ! répondit modestement l'orateur.

— Et maintenant, mes amis, reprit Michel Ardan, si vous avez quelque question à me poser, je tâcherai de vous répondre.

Jusqu'ici, le président du Gun-Club avait pu être satisfait de la discussion, il fallait donc maintenant éviter qu'on pose des questions pratiques, auxquelles Michel Ardan pourrait moins facilement répondre. Barbicane prit donc vite la parole, et il demanda à son nouvel ami s'il pensait que la Lune ou les planètes étaient habitées.

— C'est un grand problème que tu me poses là, (depuis la veille le président et Michel Ardan se disaient « tu ») mon digne président, répondit l'orateur en souriant; cependant, certains hommes d'une grande intelligence ont déjà dit que oui, et *je suis* plutôt *porté à* penser comme eux. Je me dis que rien d'inutile n'existe en ce monde, et, répondant à ta question par une autre question, ami Barbicane, j'affirmerais que si les mondes sont *habitables*, ou ils sont habités, ou ils l'ont été, ou ils le seront.

— On ne peut répondre avec plus de *logique*, dit le président du Gun-Club. La question revient donc à celle-ci : Les mondes sont-ils habitables ? Je le crois, pour ma part.

— Et moi, j'en suis certain, répondit Michel Ardan.

— Cependant, interrompit une voix de la foule, il y a une chose qui ne va pas, car si l'on raisonne bien, on doit être brûlé ou gelé dans ces planètes, suivant qu'elles sont plus ou moins éloignées du Soleil.

— Vous pouvez avoir raison, répondit l'orateur, s'il est prouvé que la Terre est le meilleur des mondes possibles, mais cela n'est pas, quoi qu'en ait dit *Voltaire*. Mais ce qui rend surtout notre Terre peu confortable, c'est que les jours et les nuits ne sont pas aussi longs et que les saisons sont si différentes. Sur notre malheureuse planète il fait toujours trop chaud ou trop froid, c'est la planète des maladies. Et tout cela parce que son *axe* n'est pas droit.

être porté à, être disposé à.
habitable, qui peut être habité.
logique, le fait de raisonner juste.
Voltaire, écrivain et philosophe français du XVIIIe siècle.
axe, ligne autour de laquelle la Terre tourne.

– Eh bien! s'écria une voix forte, unissons nos efforts, inventons des machines à redresser l'axe de la Terre!

Cette proposition provoqua un rire général et la discussion fut suspendue pendant un bon quart d'heure. Son auteur était et ne pouvait être que J.-T. Maston, et longtemps, bien longtemps encore, on parla dans les Etats-Unis d'Amérique de cette proposition annoncée si énergiquement par le secrétaire du Gun-Club.

Questions

1. Pourquoi Barbicane veut-il empêcher la population de Tampa-Town de poser des questions à Michel Ardan?

2. Quelle est l'importance de la conférence de M. Ardan?

3. Pourquoi cette conférence passionne-t-elle les spectateurs?

4. En quoi l'idée de la Lune que se font Barbicane et Michel Ardan est-elle démodée?

11 Attaque et défense

Cet incident semblait devoir terminer la discussion. C'était le « mot de la fin », et l'on n'eût pas trouvé mieux. Cependant, quand le calme fut rétabli, on entendit ces paroles prononcées d'une voix forte et sévère :

— Maintenant que l'orateur a laissé aller son imagination, voudra-t-il bien revenir à son sujet, faire moins de théories discuter la partie pratique de son voyage ?

Tous les regards se dirigèrent vers l'homme qui parlait ainsi. C'était un homme maigre, sec, d'une figure énergique avec une barbe coupée à l'américaine. Il avait peu à peu gagné le premier rang, et de là, les bras croisés, il fixait du regard le héros de la réunion. Après avoir présenté sa demande, il se tut et ne parut pas s'émouvoir des milliers de regards qui se dirigeaient vers lui. La réponse se faisait attendre, il posa de nouveau sa question sur le même ton, puis il ajouta :

— Nous sommes ici pour nous occuper de la Lune et non de la Terre.

— Vous avez raison, monsieur, répondit Michel Ardan, revenons à la Lune.

— Monsieur, reprit l'inconnu, vous prétendez que la Lune est habitée. Bien. Mais s'il existe des habitants de la Lune, ces gens-là vivent sans respirer, car – je vous le dis dans votre intérêt – il n'y a pas le moindre air à la surface de la Lune.

A cette déclaration, Ardan se redressa ; il comprit que la lutte allait se livrer avec cet homme sur le point central de la question. Il le regarda fixement à son tour, et dit :

— Ah ! il n'y a pas d'air dans la Lune ! Et qui vous a dit cela, s'il vous plaît ?

— Les savants.

— Vraiment?

— Vraiment.

— Monsieur, reprit Michel Ardan, j'ai une profonde admiration pour les savants qui savent, mais un profond mépris pour les savants qui ne savent pas.

— Vous en connaissez qui font partie de ces derniers?

— Absolument. En France, il y en a un qui soutient que d'un point de vue « mathématique » l'oiseau ne peut pas voler, et un autre, dont les théories montrent que le poisson n'est pas fait pour vivre dans l'eau.

— Il ne s'agit pas de ceux-là, monsieur, et je pourrais citer des noms que vous, vous ne pourriez pas *écarter*.

— Dans ce cas-là, monsieur, vous embarrasseriez fort un pauvre ignorant qui, d'ailleurs, ne demande qu'à s'instruire!

— Pourquoi donc vous occupez-vous des questions *scientifiques* si vous ne les avez pas étudiées? demanda l'inconnu sévèrement.

— Pourquoi? répondit Ardan. Pour la raison que celui-là est toujours brave qui ne soupçonne pas le danger! Je ne sais rien, c'est vrai, mais c'est justement ma faiblesse qui fait ma force.

— Votre faiblesse va jusqu'à la folie, s'écria l'inconnu d'un ton de mauvaise humeur.

— Eh! tant mieux, continua le Français, si ma folie me mène jusqu'à la Lune!

La discussion continua ainsi pendant un bon moment. Enfin, Michel Ardan dit du ton le plus agréable:

— Vous désirez ajouter quelques mots?

écarter, mettre de côté.
scientifique, qui se rapporte à la science.

— Oui, cent, mille, répondit l'inconnu vivement. Ou plutôt, non, un seul! Pour insister, il faut que vous soyez...

— Imprudent! Comment pouvez-vous me traiter ainsi, moi qui ai demandé un projectile de forme allongée à mon ami Barbicane, afin de ne pas tourner en route autour de moi-même.

— Mais, malheureux, rien que le *contrecoup* vous mettra en pièces!

— Mon cher adversaire, vous venez de poser le doigt sur la véritable et seule difficulté; cependant, j'ai trop bonne opinion du génie technique des Américains pour croire qu'ils ne parviendront pas à la résoudre!

— Mais la chaleur développée par la vitesse du projectile en traversant les couches d'air?

— Oh! le projectile est épais, et j'aurai si rapidement franchi l'atmosphère!

— Mais vous vivrez de quoi? avez-vous de l'eau?

— J'ai calculé que je pouvais en emporter pour un an, et ma traversée durera quatre jours!

— Mais de l'air pour respirer en route?

— La chimie m'aidera.

— Mais votre chute sur la Lune, si vous arrivez?

— Elle sera six fois moins rapide qu'une chute sur la terre, puisque la *pesanteur* est six fois moindre à la surface de la Lune.

— Mais enfin, à supposer que toutes les difficultés soient résolues, que soient réunies toutes les chances en votre faveur, que vous arriviez *sain et sauf* dans la Lune, comment reviendrez-vous?

---

contrecoup, choc d'un corps renvoyé par un autre corps.
pesanteur, action de la Terre qui attire les corps vers son centre.
sain et sauf, sans blessure.

– Je ne reviendrai pas!

A cette réponse, très belle par sa simplicité, la foule demeura dans un silence impressionnant. L'inconnu en profita pour protester une dernière fois.

– Vous vous tuerez évidemment, s'écria-t-il, et votre mort, qui n'aura été que la mort d'un fou, n'aura même pas servi la science!

– Continuez, mon cher inconnu, car vous prévoyez vraiment les choses d'une façon fort agréable.

– Ah! c'est trop! s'écria l'adversaire de Michel Ardan, et je ne sais pas pourquoi je continue une discussion aussi peu sérieuse! Poursuivez à votre aise cette folle entreprise! Ce n'est pas à vous qu'il faut faire le reproche!

– Oh! ne vous gênez pas!

– Non! c'est un autre qui portera la responsabilité de vos actes!

– Et qui donc, s'il vous plaît? demanda Michel Ardan d'une voix furieuse.

– L'ignorant qui a organisé cette tentative aussi impossible que ridicule!

L'attaque était directe. Barbicane, depuis que l'inconnu avait commencé à parler, faisait de violents efforts pour se retenir; mais, en se voyant ainsi attaqué, il se leva brusquement pour marcher vers son adversaire, quand subitement l'estrade fut enlevée par des centaines de bras et le président du Gun-Club fut porté en triomphe avec Michel Ardan.

Cependant l'inconnu n'avait pas bougé, il se tenait toujours au premier rang et regardait fixement le président Barbicane. Les cris de l'immense foule continuèrent à retentir pendant cette marche triomphale. Michel Ardan semblait y trouver un grand plaisir. Ainsi ils arrivèrent au port de Tampa-Town. Là, Michel Ardan réussit à s'en-

fuir à son hôtel et se glissa rapidement dans son lit, tandis qu'une armée de cent mille hommes veillait sous ses fenêtres.

Pendant ce temps, une scène courte et grave avait lieu entre l'inconnu et le président du Gun-Club. Barbicane, libre enfin, était allé droit à son adversaire.

– Venez! dit-il d'une voix brève.

Celui-ci le suivit sur le quai, et bientôt les deux hommes se trouvèrent seuls. Les deux ennemis, encore inconnus l'un à l'autre, se regardèrent.

– Qui êtes-vous? demanda Barbicane.

– Le capitaine Nicholl.

– Je m'en doutais. Jusqu'ici le hasard ne vous avait jamais jeté sur mon chemin...

– C'est pourquoi je suis venu!

– Vous m'avez *insulté*!

– En public!

– Je veux que vous me rendiez compte de cette insulte!

– A l'instant!

– Non. Je désire que tout se passe secrètement entre nous. Il y a un bois situé à trois milles de Tampa, le bois de Skersnaw. Vous connaissez?

– Je le connais.

– Voulez-vous y entrer demain matin à cinq heures par un côté?...

– Oui, si à la même heure vous y entrez par l'autre côté.

– Et vous n'oublierez pas votre fusil? dit Barbicane.

– Pas plus que vous n'oublierez le vôtre, répondit Nicholl.

Sur ces paroles froidement prononcées, le président du Gun-Club et le capitaine se séparèrent. Barbicane revint à sa demeure, mais au lieu de prendre quelques heures de repos, il passa la nuit à chercher les moyens d'éviter le contrecoup du projectile et de résoudre ce difficile problème posé par Michel Ardan à la réunion.

---

insulter, dire des paroles désagréables à quelqu'un pour le blesser.

Questions

1. Pourquoi l'opposition entre la théorie et la pratique est-elle soulevée par l'interrupteur ?

2. Comment peut-on se douter de ce que l'interrupteur est Nicholl ?

3. Pourquoi Michel Ardan peut-il parler des « savants qui ne savent pas » ?

4. Que peut-on penser des arguments scientifiques de Michel Ardan ?

5. Comment Nicholl arrive-t-il à attaquer Barbicane ?

12 Comment un Français arrange une affaire

Pendant que les conditions de ce duel étaient discutées entre le président et le capitaine, Michel Ardan se reposait des fatigues du triomphe. Soudain, un bruit violent vint l'arracher à ses rêves. C'étaient des coups donnés à sa porte et une voix cria :

— Ouvre donc, au nom du Ciel, ouvre !

Il se leva et ouvrit. C'était Maston, le secrétaire du Gun-Club. Entré dans la chambre, il s'écria hors de lui :

— Hier soir, notre président a été insulté publiquement pendant la réunion ! Pour obtenir satisfaction il a *provoqué* son adversaire, qui n'est autre que le capitaine Nicholl ! Ils se battent ce matin au bois de Skersnaw ! J'ai tout appris par Barbicane lui-même ! S'il est tué, c'en est fini de nos projets ! Il faut donc empêcher ce duel ! Or, un seul homme au monde peut avoir assez d'influence sur Barbicane pour l'arrêter, et cet homme c'est Michel Ardan !

Pendant que Maston parlait ainsi, Ardan, sans l'interrompre, s'était précipité dans son pantalon, et, deux minutes après, les deux amis étaient en route pour le bois de Skersnaw.

Pendant cette course rapide, Maston mit Ardan au courant de la situation. Il lui apprit comment ces deux ennemis s'étaient haïs depuis longtemps, et comment Nicholl avait profité de l'occasion pour *se venger* de Barbicane.

---

provoquer, inviter à un combat.
se venger, faire du mal à quelqu'un qui vous a fait du mal.

Il était cinq heures et demie quand Michel Ardan et Maston arrivèrent enfin au bois. Ils rencontrèrent un vieil homme qui était en train de couper les arbres, et Maston courut à lui en criant :

– Avez-vous vu entrer dans le bois un homme armé d'un fusil, le président... mon meilleur ami ?

Maston parlait de son président comme s'il était connu du monde entier. Mais l'homme n'eut pas l'air de comprendre.

– Un chasseur, dit alors Ardan.

– Un chasseur ? oui, répondit l'homme.

– Il y a longtemps ?

– Une heure à peu près.

– Trop tard ! s'écria Maston.

– Et avez-vous entendu des coups de fusil ? demanda Michel Ardan.

– Non.

– Pas un seul ?

– Pas un seul. Ce chasseur-là n'a pas l'air de faire bonne chasse !

– Que faire ? dit Maston à Michel Ardan.

– Entrer dans le bois et risquer d'avoir une balle dans la tête.

– Ah ! s'écria Maston, je préfère dix balles dans ma tête qu'une seule dans la tête de Barbicane.

– En avant donc ! reprit Ardan en serrant la main de son compagnon.

Quelques secondes plus tard, les deux amis disparaissaient dans le bois. Ils se mirent à chercher les traces que Barbicane avait dû laisser de son passage, mais il leur était impossible de les reconnaître. Après une heure de vaines recherches, les deux hommes s'arrêtèrent. Leur inquiétude augmentait.

— Je pense que tout est fini, dit Maston triste. Un homme comme Barbicane n'a pas peur du danger, il est allé en avant, droit sans hésiter. Nous sommes arrivés trop tard.

Michel ne trouva pas un mot à répondre, et ils reprirent leur marche interrompue. De temps en temps ils poussaient de grands cris; ils appelaient ou Barbicane, ou Nicholl, mais ni l'un ni l'autre ne répondait.

Tout d'un coup, Maston s'arrêta.

— Silence! fit-il. Il y a quelqu'un là-bas.

— Quelqu'un? répondit Michel Ardan.

— Oui, un homme! Il semble immobile. Son fusil n'est plus entre ses mains. Que fait-il donc?

— Mais le reconnais-tu? demanda Michel.

— Oui! oui! Il se retourne, répondit Maston.

— Et c'est?...

— Le capitaine Nicholl!

— Nicholl! s'écria Michel Ardan, qui sentit son cœur se serrer.

Nicholl sans arme! Il n'avait donc plus rien à craindre de Barbicane?

— Marchons vers lui, dit Michel Ardan, pour voir ce qui se passe.

Mais son compagnon et lui n'eurent pas fait cinquante pas, qu'ils s'arrêtèrent pour examiner plus attentivement le capitaine. Ils s'imaginaient trouver un homme couvert de sang, mais en le voyant, ils restèrent stupéfaits.

Une *toile d'araignée* était tendue entre deux arbres, et au milieu de la toile, un petit oiseau se battait pour sa liberté. L'araignée, au moment de se précipiter sur l'oiseau, avait dû s'enfuir entre les hautes branches de l'arbre, car un terrible ennemi venait la menacer à son tour.

En effet, le capitaine Nicholl, son fusil à terre et oubliant

toile d'araignée

les dangers de sa situation, s'occupait à délivrer le plus
doucement possible la victime. Quand il eut fini, il laissa
s'envoler le petit oiseau, qui battit joyeusement de l'aile
et disparut.

Nicholl, touché, le regardait fuir à travers les branches,
quand il entendit ces paroles prononcées d'une voix émue :

– Vous êtes un brave homme, vous!

Il se retourna. Michel Ardan était devant lui et continua:

– Et un aimable homme!

– Michel Ardan! s'écria le capitaine. Que venez-vous faire ici, monsieur?

– Vous serrer la main, Nicholl, et vous empêcher de tuer Barbicane ou d'être tué par lui.

– Barbicane! s'écria le capitaine, que je cherche depuis deux heures sans le trouver! Où se cache-t-il?

– Nicholl, dit Michel Ardan, ceci n'est pas poli! Il faut toujours respecter son adversaire; soyez tranquille, si Barbicane est vivant, nous le trouverons, car il doit vous chercher aussi. Mais quand nous l'aurons trouvé, c'est Michel Ardan qui vous le dit, il ne sera plus question de duel entre vous.

– Entre le président Barbicane et moi, répondit gravement Nicholl, il y a une telle haine, que seulement la mort de l'un de nous...

– Allons donc! allons donc! reprit Michel Ardan, de braves gens comme vous, cela a pu se détester, mais cela s'estime. Vous ne vous battrez pas.

– Je me battrai, monsieur!

– Non!

– Capitaine, dit alors J.-T. Maston avec beaucoup de cœur, je suis l'ami du président, un autre lui-même; si vous voulez absolument tuer quelqu'un, tirez sur moi, ce sera exactement la même chose.

– Monsieur, dit Nicholl en serrant son fusil dans sa main, ceci est sérieux.

– Mais, l'ami Maston est sérieux, répondit Michel Ardan, et je comprends son idée de se faire tuer pour l'homme qu'il aime! Mais ni lui ni Barbicane ne tomberont sous

66

les balles du capitaine Nicholl, car je veux faire aux deux rivaux une proposition si intéressante qu'ils l'accepteront tout de suite.

— Et laquelle? demanda Nicholl peu convaincu.

— Patience, répondit Ardan, je ne peux la dire qu'en présence de Barbicane.

— Cherchons-le donc, s'écria le capitaine, et aussitôt les trois hommes se mirent en chemin.

Ils avaient marché pendant une demi-heure quand, soudain, Maston s'arrêta.

Devant eux, dans les herbes, ils distinguaient un homme assis contre un arbre.

— C'est lui! fit Maston.

Barbicane ne bougeait pas. Ardan fit quelques pas en criant:

— Barbicane! Barbicane!

Pas de réponse. Ardan se précipita vers son ami; mais, au moment où il allait lui saisir le bras, il s'arrêta en poussant un cri de surprise.

Barbicane était en train de prendre des notes sur un bout de papier, et il était si occupé par son travail que, lui aussi, il avait oublié le duel.

Mais quand Michel Ardan posa sa main sur la sienne, il se leva et le considéra d'un air étonné.

— Ah! s'écria-t-il enfin, toi! ici! J'ai trouvé, mon ami! J'ai trouvé!

— Quoi?

— Mon moyen!

— Quel moyen?

— Le moyen de prévenir le contrecoup au départ du projectile!

— Vraiment? dit Michel en regardant le capitaine du coin de l'œil.

— Oui! de l'eau! de l'eau tout simplement... Ah! Maston! s'écria Barbicane, vous aussi!

— Lui-même, répondit Michel Ardan, et permets que je te présente en même temps le digne capitaine Nicholl!

— Nicholl! s'écria Barbicane qui fut debout en un instant. Pardon, capitaine, dit-il, j'avais oublié... je suis prêt...

Mais Michel Ardan l'interrompit et se mit à raconter au président l'histoire du capitaine avec l'oiseau.

— Mes braves amis, dit-il en terminant, il n'y a jamais eu entre vous qu'un *malentendu*. Eh bien! pour prouver que tout est fini entre vous, acceptez la proposition que je vais vous faire.

— Parlez, dit Nicholl.

— L'ami Barbicane croit que son projectile ira tout droit sur la Lune.

— Oui, certes, répondit le président.

— Et l'ami Nicholl est persuadé qu'il retombera sur terre.

— J'en suis certain, s'écria le capitaine.

— Bon! reprit Michel Ardan. Je ne demande pas que vous vous mettiez d'accord; mais je vous dis tout simplement: Partez avec moi, et venez voir si nous resterons en route.

— Hein! fit J.-T. Maston surpris.

Les deux rivaux, à cette proposition inattendue, avaient levé les yeux l'un sur l'autre. Barbicane attendait la réponse du capitaine, Nicholl celle du président.

— Eh bien? fit Michel en souriant. Puisqu'il n'y a plus de contrecoup à craindre!

— Accepté! s'écria Barbicane.

---

malentendu, parole ou action mal comprise.

Mais alors qu'il avait prononcé ce mot, Nicholl l'avait dit en même temps que lui.

— Hurrah! bravo! s'écria Michel Ardan en tendant la main aux deux adversaires. Et maintenant que l'affaire est arrangée, mes amis, permettez-moi de vous inviter à déjeuner.

Questions

1. Quels sentiments animent Maston et Michel Ardan quand ils se dirigent vers la forêt?

2. Quelle impression donne Nicholl quand Michel Ardan et Maston le rencontrent?

3. Que penser de l'envie de se battre des deux adversaires?

4. Que penser du moyen imaginé par Michel Ardan pour créer une amitié entre Barbicane et Nicholl?

Ce jour-là toute l'Amérique apprit en même temps l'affaire du président Barbicane et du capitaine Nicholl, ainsi que sa fin singulière. Le rôle joué par le généreux Européen, sa proposition inattendue qui sauvait la situation, l'acceptation des deux rivaux, l'idée que la France et les Etats-Unis s'étaient mis d'accord pour conquérir la Lune ensemble, tout cela faisait monter Michel Ardan dans l'estime de la population.

A partir de ce jour, Michel Ardan n'eut plus un moment de repos. Des gens venus de tous les coins de l'Union le poursuivirent sans cesse. On alla même jusqu'à lui faire la proposition de le promener de ville en ville dans tous les Etats-Unis et de le montrer comme un animal curieux, et cela contre une somme d'un million. Evidemment, Michel Ardan refusa cette proposition.

Cependant, s'il refusa de satisfaire ainsi la curiosité publique, ses portraits, du moins, couraient le monde entier. Chacun pouvait posséder son héros en toutes les dimensions possibles, depuis la grandeur nature jusqu'aux réductions des timbres-poste. Toutes les *vieilles filles* du monde entier rêvaient jour et nuit devant ses photographies.

Dès qu'il put échapper enfin un peu à son triomphe, il alla, suivi de ses amis, faire une visite à la Columbiad. Du reste, il était devenu très fort dans la science des armes, depuis qu'il vivait avec Barbicane, J.-T. Maston et les

---

vieille fille, qui n'est pas mariée.

autres. Arrivé à la Columbiad, il l'admira fort et descendit jusqu'au fond de l'*âme* de cet énorme canon qui devait bientôt le lancer vers la Lune.

— Au moins, dit-il, ce canon-là ne fera de mal à personne, ce qui est déjà étonnant de la part d'un canon. Mais quant à vos machines qui détruisent, qui font brûler, qui tuent, ne m'en parlez pas, et surtout ne venez jamais me dire qu'elles ont « une âme », car je ne vous croirais pas !

Il faut parler ici d'une proposition faite par J.-T. Maston. Quand le secrétaire du Gun-Club entendit Barbicane et Nicholl accepter de faire le voyage avec Michel Ardan, il décida de se joindre à eux. Un jour il demanda à faire partie du voyage, mais Barbicane refusa et lui fit comprendre que le projectile ne pouvait emporter un aussi grand nombre de passagers. J.-T. Maston, désespéré, alla trouver Michel Ardan qui, lui aussi, lui dit d'y renoncer tout de suite.

— Vois-tu, mon vieux Maston, lui dit-il, il ne faut pas prendre mes paroles dans le mauvais sens, mais vraiment là, entre nous, tu es trop incomplet pour te présenter sur la Lune !

— Incomplet ! s'écria le courageux invalide de guerre.

— Oui, mon brave ami ! Pense au cas où nous rencontrerions des habitants là-haut. Voudrais-tu donc leur donner une aussi triste idée de ce qui se passe ici-bas, leur apprendre ce que c'est que la guerre, leur montrer qu'on emploie le meilleur de son temps à se manger, à se casser bras et jambes ? Allons donc, mon digne ami, à cause de toi on serait mis à la porte !

— Mais si vous arrivez en morceaux, répondit J.-T. Maston, vous serez aussi incomplets que moi !

âme (*d'un canon*), l'intérieur (vide) d'une bouche à feu.

— Sans doute, fit Michel Ardan, mais nous n'arriverons pas en morceaux!

En effet, une expérience, tentée le 18 octobre, avait donné les meilleurs résultats. Barbicane, qui voulait se rendre compte de l'effet de contrecoup au moment du départ d'un projectile, fit venir un petit canon de 0,75 m qu'il installa au bord de la mer, afin que la bombe retombât dans l'eau. Un projectile vide fut préparé avec le plus grand soin pour cette curieuse expérience. Là-dedans on mit d'abord un gros chat, puis un *écureuil* appartenant à J.-T. Maston et *auquel* il *tenait* beaucoup. On voulait savoir comment ce petit animal, qui est habitué aux hauteurs, supporterait un tel voyage.

écureuil

On alluma le canon, et aussitôt le projectile s'enleva avec rapidité, atteignit une hauteur de mille pieds environ, pour ensuite aller tomber dans l'eau.

Sans perdre une minute, un bateau se dirigea vers le lieu de la chute; deux hommes plongèrent sous l'eau et cinq minutes plus tard on avait trouvé et ouvert le projectile. Ardan, Barbicane, Maston et Nicholl, qui étaient sur le bateau, virent alors le chat sauter au-dehors, plein

tenir à (*quelqu'un ou quelque chose*), aimer.

de vie. Quant à l'écureuil, rien. On chercha. Nulle trace. Il fallut bien alors reconnaître la vérité : le chat avait mangé son compagnon de voyage.

J.-T. Maston fut très triste de cette perte, mais l'expérience avait effacé toute hésitation et toute crainte. Il n'y avait donc plus qu'à partir.

Deux jours plus tard, Michel Ardan reçut une lettre du président de l'Union lui annonçant que le gouvernement avait décidé de lui donner le titre de citoyen des Etats-Unis d'Amérique, honneur auquel il se montra particulièrement sensible.

Questions

1. L'idée de promener Michel Ardan à travers les Etats-Unis, est-elle caractéristique d'une mentalité ?

2. Les expériences tentées avec les animaux semblent-elles dépassées par l'actualité ?

14 Le wagon-projectile

Quand la célèbre Columbiad fut terminée, l'intérêt public se porta immédiatement sur le projectile qui allait transporter les trois voyageurs à travers l'espace. Personne n'avait oublié que dans son télégramme du 30 septembre, Michel Ardan demandait un changement dans les plans établis par les membres du Comité.

Le président Barbicane n'avait pas attaché grande importance à la forme du projectile au début, mais maintenant qu'il allait servir comme moyen de transport, c'était une autre affaire.

De nouveaux plans furent donc envoyés à la maison Breadwill and Co. avec l'ordre de les appliquer tout de suite. Le projectile fut fondu le 2 novembre et expédié

immédiatement à Stone's Hill. Michel Ardan, Barbicane et Nicholl attendaient avec la plus vive impatience ce « wagon-projectile » dans lequel ils devaient monter pour découvrir un nouveau monde.

– Il te plaît, notre projectile? demanda Barbicane, après l'avoir examiné dans tous les détails avec son ami Michel Ardan.

– Oui! oui! sans doute, répondit celui-ci. Je regrette seulement qu'il n'y ait pas de confort à l'intérieur. Donne-moi au moins le droit de le meubler à mon goût et avec tout le luxe qui convient à des ambassadeurs de la Terre!

– *A cet égard*, mon brave Michel, répondit Barbicane, je te permets de faire jouer ta fantaisie.

Mais, avant de penser au confort, le président avait songé à l'utile, et pour diminuer les effets du contrecoup,

---

à cet égard, quant à cela.

le projectile devait être rempli d'eau jusqu'à une hauteur de trois pieds. Là-dessus on avait fait un sol de bois qui ne laissait pas pénétrer l'eau. Et c'est là que les trois voyageurs allaient s'installer.

Enfin, pour pouvoir observer le projectile pendant son voyage, Barbicane avait commandé à l'Observatoire de Cambridge un énorme *télescope*, long de deux cent quatre-vingts pieds, qui fut placé sur une des rares hautes montagnes des Etats : la Long's Peak dans les Montagnes Rocheuses.

Questions

1. L'idée de confort de Michel Ardan le signale-t-elle comme Français ?

télescope

15 Derniers détails

Restait maintenant à introduire le projectile dans la Columbiad. Mais avant, les objets nécessaires au voyage furent disposés avec ordre dans le wagon-projectile. Ils étaient en assez grand nombre, et si on avait laissé faire Michel Ardan, ils auraient bientôt occupé toute la place réservée aux voyageurs. On ne se figure pas ce que cet aimable Français voulait emporter dans la Lune. Mais Barbicane l'en empêcha, et il dut se réduire au strict nécessaire.

Pour permettre aux trois amis de faire connaissance avec ce monde nouveau, qui était la Lune, ils emportaient une excellente carte de Beer et Mœdler qui reproduisait dans les moindres détails la partie de la Lune tournée vers la Terre.

Ils emportaient aussi trois fusils de chasse, car, comme le dit Michel Ardan:

– On ne sait pas à qui on aura affaire. Hommes et bêtes peuvent trouver mauvais que nous allions leur rendre visite, et il faut donc prendre ses précautions.

Aussi avaient-ils avec eux des vêtements pour toutes les températures.

Michel Ardan aurait voulu emmener dans son expédition un certain nombre d'animaux, évidemment pas un couple de toutes les espèces, mais quelques bêtes telles que bœuf ou vache, âne ou cheval, qui feraient bien dans le paysage et seraient en outre utiles.

A cause du manque de place, il fut convenu que les voyageurs se contenteraient d'emmener une excellente chienne de chasse appartenant à Nicholl. Plusieurs caisses

de graines les plus utiles furent ajoutées au nombre des objets *indispensables*.

Restait alors l'importante question de la *nourriture*, car il fallait prévoir le cas où l'on arriverait sur une partie de

---

indispensable, tout à fait nécessaire.
nourriture, ce que l'on mange.

la Lune absolument *stérile*. Barbicane *parvint à* en prendre pour une année. Mais il faut dire que cette nourriture consistait en conserves de viandes et de légumes réduits à leur plus simple volume. Elle n'était pas très variée, mais il ne fallait pas se montrer difficile dans une pareille expédition. Il y avait aussi une réserve d'*eau-de-vie* d'environ 200 litres, et de l'eau pour deux mois seulement, car on comptait sur la présence d'une certaine quantité d'eau à la surface de la Lune.

— D'ailleurs, dit Michel Ardan un jour à ses amis, nous ne serons pas complètement abandonnés de nos camarades de la Terre, et ils auront soin de ne pas nous oublier.

— Non, certes, répondit J.-T. Maston.

— Comment l'entendez-vous ? demanda Nicholl.

— Rien de plus simple, répondit Ardan. Est-ce que la Columbiad ne sera pas toujours là ? Eh bien ! Toutes les fois que la Lune se présentera dans des conditions favorables de *zénith*, c'est-à-dire une fois par an à peu près, ne pourra-t-on pas nous envoyer des projectiles chargés de nourriture, que nous attendrons à jour fixe ?

— Hurrah ! hurrah ! s'écria J.-T. Maston surpris par cette idée. Voilà qui est bien dit ! Certainement, mes braves amis, nous ne vous oublierons pas !

— J'y compte ! Ainsi, vous le voyez, nous aurons régulièrement des nouvelles de la Terre, et, quant à nous, cela m'étonnerait fort si nous ne trouvions pas un moyen de communiquer avec nos bons amis de la Terre !

Ces paroles respiraient une telle confiance que Michel

---

stérile, qui ne porte ni fruits ni plantes.
parvenir à, réussir à.
eau-de-vie, sorte d'alcool.
zénith, point du ciel situé en ligne droite au-dessus d'un point de la terre.

Ardan eût facilement entraîné tous les membres du Gun-Club à sa suite.

Lorsque les divers objets eurent été disposés dans le projectile, on l'emmena à Stone's Hill où il fut suspendu au-dessus du puits de métal.

Ce fut un moment émouvant, car s'il était tombé avec son poids énorme, il eût certainement allumé le canon. Mais, heureusement, tout se passa bien, et quelques heures après, le wagon-projectile reposait dans l'âme du canon.

— J'ai perdu, dit le capitaine en remettant au président une somme de trois mille dollars.

Barbicane ne voulait pas recevoir cet argent de la part d'un compagnon de voyage; mais il dut céder devant Nicholl, qui tenait à remplir tous ses *engagements* avant de quitter la Terre.

— Alors, dit Michel Ardan, je n'ai plus qu'une chose à vous souhaiter, mon brave capitaine.

— Laquelle? demanda Nicholl.

— Que vous perdiez vos deux autres paris! De cette façon, nous serons sûrs de ne pas rester en route!

Questions

1. A quoi fait penser la réflexion au sujet d'un couple d'animaux de chaque espèce?
2. Qu'y a-t-il de très moderne dans la nourriture emportée par les voyageurs?
3. Que penser de l'idée d'un train de projectiles chargés d'envoyer la nourriture dans la Lune?

---

engagement, ce qu'on a promis.

16 Feu!

Le premier jour de décembre était arrivé, jour important, car si le départ du projectile ne *s'effectuait* pas le soir même, à dix heures quarante-six minutes et quarante secondes, plus de dix-huit ans devraient se passer avant que la Lune se représentât dans ces mêmes conditions: au zénith et au point le plus rapproché de la Terre en même temps.

Le temps était magnifique; malgré la saison, le soleil brillait sur cette terre que trois de ses habitants allaient abandonner pour un nouveau monde.

Depuis le matin une immense foule couvrait les plaines qui entourent Stone's Hill. Tous les quarts d'heure, le train de Tampa amenait de nouveaux curieux, et le nombre des visiteurs fut, d'après le journal de Tampa-Town, près de cinq millions pendant cette remarquable journée. Tous les peuples de la terre y étaient représentés et toutes les langues du monde s'y parlaient à la fois.

Vers sept heures du soir, la Lune se levait sur l'horizon. Plusieurs millions de hurrahs la saluèrent. Elle était exacte au rendez-vous.

A ce moment parurent les trois courageux voyageurs. A leur arrivée les cris redoublèrent, et ensuite le chant national des Etats-Unis s'échappa de toutes les bouches à la fois.

Puis, quand le chant se tut, un silence total régna sur la foule impressionnée. Cependant, le Français et les deux Américains avaient franchi les barrières qui protégeaient la Columbiad. Ils étaient accompagnés des membres du

---

s'effectuer, se faire.

84

Gun-Club. Barbicane, froid et calme, donnait tranquillement ses derniers ordres. Nicholl, les lèvres serrées, les mains croisées derrière le dos, marchait d'un pas ferme et mesuré. Michel Ardan, toujours gai, vêtu en parfait voyageur, serrait la main de tout le monde sur son passage.

Dix heures sonnèrent. Le moment était venu de prendre place dans le projectile. Barbicane avait réglé sa montre à un dixième de seconde près sur celle de l'ingénieur Murchison, qui était chargé de mettre le feu aux *poudres*.

Le moment des adieux était donc arrivé. La scène fut touchante; malgré sa gaieté, Michel Ardan se sentit ému. J.-T. Maston avait retrouvé sous ses *paupières* sèches une vieille larme qu'il réservait sans doute pour cette occasion. Il la versa sur le front de son cher et brave président.

— Emmenez-moi! dit-il, il est encore temps.

— Impossible, mon vieux Maston, répondit Barbicane.

Quelques instants plus tard, les trois compagnons de route étaient installés dans le projectile. Qui pourrait décrire l'émotion qui y régnait?

La Lune s'avançait sur le ciel et se trouvait maintenant à mi-chemin de l'horizon et du zénith.

Un silence effrayant enveloppait cette scène. Pas un souffle de vent sur la Terre! Pas un souffle dans les poitrines! Les cœurs n'osaient plus battre. Tous les regards fixaient la Columbiad.

paupière

---

poudre, matière en grains très petits qu'on met dans les armes à feu.

Murchison suivait de l'œil l'*aiguille* de sa montre. Il ne restait que quarante secondes avant que l'instant du départ ne sonnât, et chacune d'elles durait un siècle.

A la vingtième, toute la foule se mit à trembler à la pensée que les courageux voyageurs enfermés dans le projectile comptaient, eux aussi, ces terribles secondes.

– Trente-cinq! – trente-six! – trente-sept! – trente-huit! – trente neuf! – quarante! Feu!!

Aussitôt Murchison pressa du doigt le bouton qui alluma la Columbiad.

Une explosion énorme, impossible à décrire, se produisit immédiatement. Une immense colonne de feu sortit du sol, la terre trembla, et c'est à peine si quelques personnes réussirent un instant à apercevoir le projectile se diriger vers le ciel.

aiguille

Questions

1. Quel rapport y a-t-il entre le lancement de la Columbiad et celui des projectiles envoyés actuellement sur la Lune?

2. Pourquoi chante-t-on le chant national américain?

3. Quels sont à votre avis les sentiments de Maston au moment du départ?

Au moment où la colonne de feu s'éleva vers le ciel à une incroyable hauteur, on vit la Floride entière éclairée par les flammes, et, pendant un instant, le jour sembla remplacer la nuit sur une étendue considérable du pays.

L'explosion de la Columbiad fut accompagnée d'un véritable *tremblement de terre*. Les gaz de la poudre, dont la violence fut augmentée par la chaleur, créèrent un faux *ouragan*, cent fois plus rapide que l'ouragan des tempêtes.

Personne parmi ceux qui avaient assisté au spectacle n'était resté debout; hommes, femmes, enfants, tous furent couchés par terre, quelques-uns furent gravement blessés, et J.-T. Maston, qui se tenait trop en avant, fut projeté en arrière et passa comme un boulet au-dessus de la tête de tout le monde. Plusieurs bâtiments du port furent détruits, et en mer la tempête se jeta sur les bateaux avec une violence incroyable.

Quand enfin la foule fut moins agitée, elle se mit à crier: Hurrah pour Ardan! Hurrah pour Barbicane! Hurrah pour Nicholl!, et plusieurs millions d'hommes, le nez en l'air, se mirent à chercher le projectile. Mais ils le cherchaient en vain. On ne pouvait plus l'apercevoir. Il fallait donc attendre les télégrammes de Long's-Peak. Le directeur de l'Observatoire de Cambridge se trouvait à son poste dans les montagnes, et c'est à lui que les observations avaient été confiées.

---

tremblement de terre, effet produit quand le sol est secoué fortement.

ouragan, tempête violente causée par plusieurs vents opposés.

Mais c'est alors qu'une chose, qu'on aurait pu prévoir d'ailleurs, vint mettre l'impatience publique à une rude épreuve. Le temps, si beau jusqu'alors, changea brusquement et le ciel se couvrit de nuages. Tout l'ordre naturel avait été troublé.

Le lendemain, le soleil se leva sur un horizon chargé de nuages épais, et un lourd rideau semblait avoir été jeté entre le ciel et la terre. Malheureusement, ce rideau s'étendit jusqu'à Long's-Peak, ce qui provoqua des cris de désespoir dans toutes les parties du monde. Et lorsque la nuit vint envelopper la Terre, quand la Lune fut remontée sur l'horizon, il fut impossible de l'apercevoir. Il n'y eut donc pas d'observation possible.

Cependant, si l'expérience avait réussi, les trois voyageurs de la Columbiad, partis le 1er décembre à dix heures quarante-six minutes et quarante secondes du soir, devaient arriver le 4 à minuit. Donc, jusqu'à ce moment-là on prit patience sans trop crier.

Le 4 décembre, de huit heures du soir à minuit, il eût été possible de suivre la trace du projectile, qui aurait apparu comme un point noir sur la Lune. Mais le temps demeura couvert et le désespoir général atteignit son maximum. On était fâché contre la Lune qui ne se montrait pas. J.-T. Maston, furieux, partit alors pour Long's-Peak. Il voulait observer lui-même, car il ne doutait pas de l'arrivée de ses amis sur la Lune. D'ailleurs, aucune chute n'avait été signalée d'un point quelconque de la Terre, et J.-T. Maston refusait de croire que le projectile fût tombé dans l'océan.

Pendant quatre jours le temps resta le même, et la situation devint grave. Car le 11, à neuf heures onze minutes du matin, la Lune devait entrer dans son dernier quartier, après quoi elle ne montrerait qu'une partie de plus en plus petite de sa surface et finirait par devenir nouvelle, c'est-à-dire qu'elle se coucherait et se lèverait avec le soleil, dont les rayons la rendraient absolument invisible. Il faudrait donc attendre jusqu'au 3 janvier, à midi quarante-quatre minutes, pour la retrouver pleine et commencer les observations.

Le 9, le soleil apparut un instant comme pour se moquer des Américains. Le 10, pas de changement, et J.-T. Maston *faillit* devenir fou. Mais, le 11, une effrayante tempête éclata et de grands vents d'est firent disparaître les nuages pour enfin, le soir, permettre à la Lune de se montrer, toute rouge, sur le ciel.

Questions

1. Quelle est la déception des spectateurs quand ils ne voient rien après le départ du projectile ?

2. Pourquoi Maston est-il furieux ?

3. En quoi les nuages créent-ils une émotion et une attente ?

---

faillir, être bien près de.

18 Un nouvel astre

Cette nuit même, la nouvelle attendue avec autant d'impatience éclata dans les Etats de l'Union, et, de là, traversant l'Océan, elle courut sur tous les fils télégraphiques du globe. Le projectile avait été aperçu, grâce à l'énorme télescope de Long's-Peak.

Voici la note envoyée par le directeur de l'Observatoire de Cambridge. Elle contient le résultat scientifique de cette grande expérience du Gun-Club.

Long's-Peak, 12 décembre.

A MM. LES MEMBRES DU BUREAU DE L'OBSERVATOIRE DE CAMBRIDGE.

Le projectile lancé par la Columbiad de Stone's-Hill a été aperçu par MM. Belfast et J.-T. Maston, le 12 décembre, à huit heures quarante-sept minutes du soir, la Lune étant entrée dans son dernier quartier.

Ce projectile n'est pas arrivé à son but. Il est passé à côté, mais assez près, cependant, pour être attiré et retenu par la Lune.

Là, son mouvement droit s'est changé en un mouvement circulaire d'une rapidité fantastique, et il a été entraîné autour de la Lune, dont il est devenu le véritable satellite.

Les détails de ce nouvel astre n'ont pas encore pu être déterminés. On ne connaît pas sa vitesse, mais on estime sa distance de la surface de la Lune à deux mille huit cent trente-trois milles environ.

---

satellite, planète secondaire qui tourne autour d'une planète principale; la Lune est le satellite de la Terre.

Maintenant, il y a lieu de faire deux suppositions qui peuvent changer l'état des choses :

Ou l'attraction de la Lune finira par gagner, et les voyageurs atteindront le but de leur voyage.

Ou, maintenu dans un ordre inchangeable, le projectile continuera de tourner autour de la Lune jusqu'à la fin des siècles.

C'est ce que les observations apprendront un jour, mais jusqu'ici la tentative du Gun-Club n'a eu d'autre résultat que de donner à notre système solaire *un nouvel astre.*

J.-M. BELFAST

Quoi qu'il en soit, l'expérience faite par le Gun-Club n'avait pas été vaine. Même si les voyageurs, enfermés dans un nouveau satellite, n'avaient pas atteint leur but, ils faisaient du moins partie du monde *lunaire.* Ils tournaient autour de la Lune, et, pour la première fois, l'œil pouvait pénétrer tous ses secrets.

Cependant, la note de Long's-Peak une fois connue, il y eut dans le monde entier un sentiment de surprise et de peur. Etait-il possible de leur venir en aide ? Sans doute, non. Ils pouvaient se procurer de l'air pendant deux mois. Ils avaient de quoi vivre pour un an. Mais après ?...

Un seul homme ne voulait pas admettre que la situation fût désespérée. Un seul avait confiance, et c'était leur ami, le brave J.-T. Maston.

D'ailleurs, il ne les quittait pas des yeux. Il s'installa pour toujours à Long's-Peak. Dès que la Lune se levait à l'horizon, il était devant le télescope, et il ne la perdait

---

solaire, ayant rapport au soleil.
lunaire, ayant rapport à la Lune.

pas un instant du regard; il observait avec une éternelle patience le passage du projectile et on peut dire que le digne homme restait sans arrêt en communication avec ses trois amis, qu'il espérait bien revoir un jour.

— Nous correspondrons avec eux, disait-il toujours, dès que les circonstances le permettront. Nous aurons de leurs nouvelles et ils auront des nôtres! D'ailleurs, je les connais, ce sont des hommes de génie. A eux trois, ils ont emporté dans l'espace toutes les *ressources* de l'art, de la science et de l'industrie. Avec cela on peut faire ce qu'on veut, et vous verrez qu'ils réussiront!

Questions

1. Quelle est l'impression ressentie par les membres du Gun-Club à la réception de la note de l'Observatoire?
2. Que penser de l'optimisme de Maston?

ressource, moyen d'action.